Nous remercions pour son aimable collaboration Odette Minet,
conseillère pédagogique en Ecole Normale.
Maquette de couverture : Michèle Isvy

ISBN 2-04-016584-3
Dépôt légal : mars 1986

Achevé d'imprimer en février 1986, par :
Imprimerie H. PROOST, Turnhout, Belgique

sous la direction pédagogique de:
HUGUETTE SERRI

HÉLÈNE RAY

ET TOI, COMMENT T'APPELLES-TU?

Bordas
BIBLIOTHÈQUE DES BENJAMINS

Anne-Sophie

La maîtresse a dit :
– A toi, Anne-Sophie.
Anne-Sophie a dit :
– Je m'appelle Anne-Sophie,
quand je suis au lit,
je lis,
ou j'écris
des poésies.
Quand on me dit :
« Anne-Sophie,
ça suffit »
je dis :
« Oui, merci, j'ai fini »
car je suis très polie.

Dominique

La maîtresse a dit :
– A toi, Dominique.
Dominique a dit :
– Je m'appelle Dominique,
je vais à l'école laïque,
mon sac en plastique
sur le dos,
c'est pratique,
ça fait chic.
Je passe devant les boutiques,
la rue monte à pic,
et je chante.
J'aime beaucoup la musique,
beaucoup plus
que les mathématiques.

Joëlle

La maîtresse a dit :
– A toi, Joëlle.
Joëlle a dit :
– Je m'appelle Joëlle,
je joue à la marelle
en chantant la ritournelle,
pendant que ma sœur jumelle,
qui s'appelle Estelle,
joue du violoncelle
sous la tonnelle.
Mais une voix m'appelle :
« Joëlle, » dit-elle,
« viens laver la vaisselle. »
Je veux bien laver la vaisselle,
mais avec ma sœur jumelle.
Aussi longtemps qu'Estelle
jouera du violoncelle,
je jouerai à la marelle.

Nicolas

La maîtresse a dit :
– A toi, Nicolas.
Nicolas a dit :
– Je m'appelle Nicolas,
mon cousin s'appelle Colas,
j'aime beaucoup le chocolat.
J'ai dit à Colas :
« As-tu du chocolat, Colas,
du chocolat chaud, Colas ? »
« Non, je n'ai pas de chocolat,
Nicolas,
ni froid, ni chaud, »
a dit Colas
« mais j'ai du Coca-Cola. »
Et moi, Nicolas,
j'ai bu le Coca-Cola
de Colas.

Odile

La maîtresse a dit :
– A toi, Odile.
Odile a dit :
– Je m'appelle Odile,
ce que j'ai à dire
est très difficile.
Elle n'a plus rien dit.
Alors nous avons dit :
– Oh ! dis-le,
Odile.
Odile a dit :
– Hervé m'a donné un biscuit,
et il m'a dit :
« Croque, Odile. »

Agnès

La maîtresse a dit :
– A toi, Agnès.
Agnès a dit :
– Je m'appelle Agnès,
j'ai de longues tresses,
j'aime la tendresse
et la gentillesse.
Mais hélas, je le confesse,
je manque de hardiesse,
je ne fais pas de prouesses,
s'il arrive que je me blesse,
je suis en pleine détresse.
Mon frère rit de moi sans cesse :
« Tu es une ânesse,
Agnès. »
J'ai voulu que cela cesse.
« Nous sommes de la même espèce,
tu es un âne si ta sœur est une ânesse,
encaisse. »
Depuis, quand à moi il s'adresse,
il me dit : « Comment vas-tu princesse ? »
Et moi je réponds : « Très bien, altesse. »

Bruno

La maîtresse a dit :
– A toi, Bruno.
Bruno a dit :
– Je m'appelle Bruno,
je lance des trémolos
à tous les échos.
Tout le monde dit bien haut :
Bruno
est un rigolo.
Mais moi je sais que bientôt
j'irai sur le coteau
tout là-haut,
là où tremblent les ormeaux,
et où chantent les oiseaux.
J'emporterai mon pipeau,
« Chantons, » dirai-je aux moineaux,
aux corbeaux, aux lapereaux,
aux renardeaux, aux souriceaux,
et même aux escargots.
Je vous accompagne de mon pipeau,
assis là sur ce fagot,
ça fera un grand méli-mélo,
ce sera la fête du coteau.

Florence

La maîtresse a dit :
– A toi, Florence.
Florence a dit :
– Je m'appelle Florence,
je voulais faire de la danse,
j'en ai fait la confidence
à ma cousine Hortense.
Elle m'a dit avec assurance :
« La danse, ça se danse. Commence !
Je joue une contredanse. »
Pleine d'ardeur, je m'élance,
à droite, à gauche, je me balance
avec beaucoup d'élégance,
mais je manque de prudence,
je glisse et tombe avec violence,
quelle malchance !
« Chuter n'a pas d'importance,
m'a dit Hortense,
tu es tombée en cadence,
l'important dans la danse,
c'est de suivre la cadence. »
Je me frotte le derrière avec constance,
et je fais la révérence.
Vive la danse !

Thibaut

La maîtresse a dit :
– A toi, Thibaut.
Thibaut a dit :
– Je m'appelle Thibaut.
L'autre jour,
je buvais du cacao,
le téléphone sonne,
je dis : « Allo. »
Une voix me dit :
« Mon coco,
il me faut
un chapeau
très gros,
très beau. »
J'ai dit :
« Je n'ai pas de chapeau,
ni très gros,
ni très beau,
c'est comme ça,
mon coco. »
Je trouve ça rigolo.

Bernard

La maîtresse a dit :
– A toi, Bernard.
Bernard a dit :
– Je m'appelle Bernard,
je suis un peu froussard,
mais pas du tout vantard.
J'ai appris qu'un léopard
s'est échappé du cirque Jean-Richard.
Or, un matin, dans mon placard,
j'entends un tintamarre,
des rugissements bizarres,
c'est sûrement le léopard
qui s'est caché là par hasard.
Je descends l'escalier dare-dare,
je crie, l'air hagard :
« Venez vite avec un poignard
pour tuer le léopard,
caché dans mon placard. »
Mon père dit, l'air goguenard :
« Suffira d'un riflard
pour déloger le léopard. »
Arrive mon frère Gérard.
« C'était moi le léopard,
espèce de froussard ! »
Je suis peut-être froussard,
mais lui, ce gaillard,
m'a tendu un traquenard.

Juliette

La maîtresse a dit :
– A toi, Juliette.
Juliette a dit :
– Je m'appelle Juliette,
je vais voir Antoinette.
J'appuie sur la sonnette,
« Salut, me dit Antoinette,
on va faire la dînette
et manger une omelette,
je connais bien la recette.
Voici les œufs de nos poulettes,
je les casse dans l'assiette,
je les bats avec la fourchette,
je craque une allumette,
je pose la poêle sur la flammette.
Vite les assiettes,
à table pour la dînette. »
Hélas ! la chatte Miquette
est passée dans les jambettes
d'Antoinette.
Elle tombe la pauvrette.
L'omelette glisse sur la carpette,
adieu omelette,
adieu dînette,
c'est la Miquette
qui fait dînette
avec l'omelette.

Gaston

La maîtresse a dit :
– A toi, Gaston.
Gaston a dit :
– Je m'appelle Gaston,
quand je serai un grand garçon,
j'élèverai des moutons.
« Ce n'est pas un métier folichon, »
me dit-on,
« sois donc marmiton,
comme ton tonton Gaston,
tu sauras faire le mironton. »
Mais moi, j'aime les moutons.
Pendant qu'ils brouteront,
je jouerai du mirliton,
et mes chansons charmeront
les cantons
des environs
et mes moutons.
Avec la laine de mes moutons
je me ferai de beaux vestons,
et le soir, tâtant à tâtons mes moutons,
je dirai : « Bonsoir, mes doux compagnons. »
Et mes moutons bêleront :
« Bonne nuit, mon vieux Gaston. »
Je me moque bien du mironton
du mironton de mon tonton,
mironton, ton, ton.

Benoît

La maîtresse a dit :
– A toi, Benoît.
Benoît a dit :
– Je m'appelle Benoît,
je viens de vivre un grand effroi.
Ce matin, devinez ce que je vois,
près de mon lit, un gaulois,
avec son carquois,
oui, ma foi.
Il me dit d'une puissante voix :
« Pendant que le soleil flamboie,
viens te battre avec moi. »
Tremblant, je demande pourquoi.
« Jadis en cet endroit, »
dit le gaulois,
« verdoyait un grand bois.
J'y vivais en grande joie,
chassais le lièvre et le chamois,
tout cela n'est plus à moi. »
Il sort une flèche de son carquois.
Je n'ai qu'une épée de bois,
je ne fais pas le poids :
« Au secours, à moi. »
Mais quoi,
plus de gaulois.
On rêve quelquefois,
et l'on se réveille tout pantois.

Yvette

La maîtresse a dit :
– C'est bien,
à moi, maintenant.
Je m'appelle Yvette,
j'aime la galette
quand elle est bien faite.
Pour la sainte Yvette,
je ferai pour vous
une grosse galette,
on la mangera,
on fera la fête.

Alors nous avons dit :
– Ce sera très chouette,
vive la sainte Yvette !

PRINTED IN BELGIUM BY proost INTERNATIONAL BOOK PRODUCTION